文史哲詩叢之2　新古典主義作品

昨夜不是夢

藍海文著

文史哲出版社印行

國立中央圖書館出版品預行編目資料

昨夜不是夢 / 藍海文著. -- 初版. -- 臺北市 :
文史哲, 民８１
面 ; 公分. -- (文史哲詩叢 ; 2)
ISBN 957-547-092-3(平裝)

851.486　　　80004814

文史哲詩叢 ②

昨夜不是夢

著者：藍海文
出版者：文史哲出版社
登記證字號：行政院新聞局局版臺業字五三三七號
發行人：彭正雄
發行所：文史哲出版社
印刷者：文史哲出版社
台北市羅斯福路一段七十二巷四號
郵撥〇五一二八八一二彭正雄帳戶
電話：三五一一〇二八

實價新台幣一六〇元

中華民國八十一年五月初版

ISBN 957-547-092-3

序

上帝說
你忠誠勤奮
我便賜你
　比飛燕玉環
　更可愛的
西子

她的指頭，流出音符
她的腳尖，旋起舞蹈
　她是一個
最美的

字
你要用心去
寫

昨夜不是夢 目次

序……一
第一輯 踐 約……一
第1首 奔赴……三
第2首 一朵火焰……四
第3首 從詩裡走來……五
第4首 當愛來時……六
第5首 愛啊愛啊……七
第二輯 鑄 情……九
第6首 今夜……一一
第7首 結草……一二
第8首 春情……一三
第9首 雕玉……一四
第10首 愛妳剖妳……一五

第11首 放縱……………………………………一六
第12首 晨曦……………………………………一七
第13首 雨霽……………………………………一八
第14首 互讀……………………………………二〇

第三輯 妳說我說……………………………………二一

第15首 我問……………………………………二三
第16首 王昭君……………………………………二四
第17首 烏孫公主……………………………………二五
第18首 卓文君……………………………………二六
第19首 蔡文姬……………………………………二七
第20首 胡太后……………………………………二九
第21首 魚玄機……………………………………三一
第22首 甄宓……………………………………三三
第23首 花蕊夫人……………………………………三五
第24首 崔鶯鶯……………………………………三六
第25首 李清照……………………………………三七
第26首 西子西子……………………………………三九

第四輯 關關雎鳩……四一
第27首 阿當之歌……四三
第28首 關雎……四四
第29首 葛覃……四五
第30首 卷耳……四六
第31首 樛木……四七
第32首 螽斯……四八
第33首 桃夭……四九
第34首 兔罝……五〇
第35首 芣苢……五一
第36首 漢廣……五二
第37首 汝墳……五三
第38首 麟之趾……五四
第五輯 我愛悠悠……五五
第39首 焚念……五七
第40首 寂寞……五八
第41首 永恒……五九

第42首 苦望……六一
第43首 搖夢……六二
第44首 夢迴……六四
第45首 放浪……六五
第46首 烈火……六六
第47首 遙寄……六七
第48首 等待……六八
第49首 遠望琴聲……六九
第50首 茫茫……七〇
第51首 望妳……七一
第52首 化蝶……七二
第53首 守秘……七三
第54首 朝思……七四
第六輯 彩夢翩翩……七五
第55首 鏤刻……七七
第56首 垂釣……七九
第57首 山語……八一

第58首 圓唱……八三
第59首 無怨……八四
第60首 無阻我愛……八六
第61首 無礙誓言……八八
第62首 恒在物外……八九
第63首 至愛……九〇

第七輯 遠遊……九三

第64首 月正柳梢……九五
第65首 訪西王母……九七
第66首 湖鳥島……九九
第67首 劉家峽……一〇〇
第68首 登嘉谷關……一〇一
第69首 絲綢之路……一〇二
第70首 扇畫莫高窟……一〇四
第71首 夜宿月牙泉……一〇五
第72首 進炳靈寺……一〇六
第73首 上大雁塔……一〇八

第74首　過乾陵……一〇九
第75首　訪司馬遷祠……一一一
第76首　拜黃陵……一一二
第77首　登長城……一一四
第78首　雲崗石窟……一一五
第79首　白馬寺……一一六
第80首　洛陽牡丹……一一八
第81首　避暑山莊……一一九
第82首　登泰山……一二一
第83首　拜見夫子……一二二
第84首　西雙版納……一二四
第85首　遊昆明……一二五
第86首　曼飛龍塔……一二七
第87首　大足石窟……一二九
第88首　九寨溝……一三〇
第89首　神農架……一三二
第90首　三國赤壁……一三三

第91首 天子山御筆峰……一三四
第92首 索溪峪……一三五
第93首 登岳陽樓……一三六
第94首 上廬山……一三七
第95首 鄱陽湖鳥國……一三八
第96首 登滕王閣……一四〇
第97首 放舟大運河……一四一
第98首 夜過寒山寺……一四二
第99首 金山寺……一四三
第100首 遊桂林……一四四
第101首 逛星湖……一四五
第102首 南上丹霞山……一四六
第103首 蜜釀造詩樓……一四七
第八輯 我愛垂型……一四九
第104首 吾愛吾愛……一五〇

第一輯 踐約

奔赴

五月的日子
驛馬動了
五月的翅膀
千里迢迢

五月的腳步
宜登斯樓
五月的指頭
輕輕敲敲

五月的巢裡
從上帝手中
飛來一隻
天堂鳥

一朵火焰

一首好美好美的
詩
一顆曠古爍今的
鑽
一朵足以鑄情的
火焰
一滴傾城傾國
令人不愛江山的
淚

突然貼在
我的胸前

從詩裡走來

從紅樓中走來
一個漫長的誓約
從唐詩宋詞中走來
一個眞實的夢

在時光的隧道中
在歷史的有意與無意之間

倘使今世
交臂而過
再來一趟
又待何年

當愛來時

應當消逝的讓他消逝
應當凝固的讓他凝固
應當發生的讓他發生

五月的臉上
有淚燦爛如花
五月的夜晚
我們回到
愛的
故園

愛啊愛啊

愛是終身赤裸裸的燃燒
又是許多飲泣背後
毋需言詮的圖騰

愛是我們身上的
一種聖物
　　朝朝暮暮
　天涯海角
生生世世的
心甘情願

第二輯 鑄 情

今夜

今夜，我是原始之樹
妳是一條淘氣的長春藤
伸開纖纖腰肢
向我纏來

我昂首敎立
把塵世拋於谷底
今夜，千種嫵媚
百般挑逗
總想把愛
燒透

結　草

五月的風
把大海吹成一條小溪
在妳耳邊
喁喁細語
把湖蕩成一條泉流
歡樂的小溪揚起為鞭
把泉流追成
一條彩帶
遂纏成一個
永遠解不開的
結

春情

走在夜中
青春是一團烈火
火焰燒焦火焰
終燃至一縷青煙

五月青春騷動
春情騷動
恒將我們淹蓋
妳是一株醒進夢鄉
騷動不已的素蓮

雕玉

被叫做霧的眼睛
展示妳生命
純白如玉
羊脂一樣溫潤的肌膚
最能體察我的溫柔

我是燧人，先以鷸嘴
啄出燦爛星光
今夜還當鑽木取火
而且火焰
一鑽就有

愛妳剖妳

我是慧劍
從溫柔中醒來
我們相逢於隘口
仗著愛的酒精
彼此將對方解剖
剖成滿地骨骼

舌尖與舌尖
饑渴成魚
恒吻並非
最後，而是一篇
序，一個眞實的
開始

放縱

白浪滔滔
夢魂翩翩
今夜無論
　海全蝕了湖
　或湖環蝕了海
在水與水的擁抱中
　死去幾回
徹骨的愛，都是
　轟轟烈烈
　斗轉星移的
重疊

晨曦

其美無比之喉
整夜不停地唱著
一首快樂的歌
直至藍天
咳出血來

雨霽

早上起來
我們點數
萬種新綠
點數昨天奔瀉的
豪情

昨夜，大地已自動
偏置一角
把空間全讓我們
翻騰

今晨，我們打從
塵世走過

街頭巷尾都投來
羡妒的眼睛

互讀

美麗了整夜的時光
依然不肯離去
白晝是一首五言絕句
很快便白駒過隙
窗外千帆已過
　紅日已西
我們乃是一頁兩面
　恒讀不厭的
奇書
今夜秉燭再讀
隨便那兒翻起

第三輯　妳說我說

我問

枕著我的臂灣
正是梅花雪月
　一笑空萬古
　　忘卻來時路
我吻妳
　問妳
古來才女知多少
無色者去之
仔細想想，才貌之中
　　　　而有詩者
妳想是誰？
妳竟是誰？

王昭君

妳說妳是
王嬙

若使當年
我在江陵
年方十九，胯下駃蹄
必能伏妳
遠走他鄉

莫使
秋木萋萋
河水泱泱
毛延壽的畫技太差
人也太髒

烏孫公主

偏讓妳是
江都王劉建之女
細君
配與烏孫王
昆莫老邁
言語不通
走也不動
如何
那個？

卓文君

妳說妳是
卓文君

若在四川臨邛
彈琴的　是我
聽琴的　是妳

一曲鳳求凰
相偕夜奔

我在成都市上賣酒
妳來收錢

*邛，音蛩。

蔡文姬

我說妳是蔡邕女
自河東回到洛陽
——妳說，何以
　　要回娘家？
再往西北轉回來
我便是董祀！

妳弄胡笳，我擊節
　　同聲同氣

一拍，心潰死兮無人知
　　——眞個淒涼！
二拍，人多暴猛兮如蟲蛇

——被擄上馬背！
六拍，饑對肉酪兮不能食
——慢慢就慣啦！
十五拍，氣塡胸兮誰識曲
——天知地知
還有我知！
十七拍，聽來心酸鼻酸
——又是眼淚！
又是鼻涕！
十八拍，夜涼如水
拍到雞啼

胡太后

妳說妳是
胡太后
——我就慘啦！
北魏楊華
雖然年少壯勇
　英俊雄偉
怎敢禍及滿門
衹好率部去也！
管妳
　陽春二月三月
管妳
　楊花楊華

飄起飄下
春來秋去
那燕子
怎敢入妳
巢裡

魚玄機

我說妳是
魚玄機
獨居咸宜觀
春情寄子安

別後花時獨上樓
爲憐鄰巷小房幽

妳是道姑
幽與不幽
干卿底事？

甄宓

妳說妳是
洛神

伏羲女兒
淹死後嫁與河神
馮夷何以化做一條白龍
游上水面，去看
　妳與我的相會
我射其左眼
祇因他鬼鬼祟祟
一點也不磊落光明！
他便捂著眼睛往告上帝

其實，上帝早已清清楚楚
對他一點也不同情
說他，既爲水神，先自敦品
　扮成水簇，有失身份！
　既是水簇動物，活當被射
　后羿又有什麼罪行？

自此之後，誰畫河伯
都祇能單著一隻右眼
否則難免留下笑柄
妳說，可以給他配隻假眼
　以假亂眞！

甄逸女兒雖然名宓
卻未溺死洛水
祇曾嫁過袁紹之子
祇曾被曹操擄去

祇曾欲以佳人配才子
祇曾
其葉何離離
使君生別離
祇曾
留枕魏王才
才使曹植哀哀
洛神賦
攬枕附會
悼佳人

花蕊夫人

我說妳是
花蕊夫人
孟昶衹顧埋頭寫詩
哪知城上豎了降旗
當時眞的還有
十四萬眾？
妳一句，罵盡
天下男兒！

崔鶯鶯

妳說妳是崔鶯鶯
我可不是
托名張生的
元稹！
鶯鶯與他
誼屬中表
始亂終棄
累她萬轉千迴
　　難下床
痛寫
絕情詩

李清照

我說妳是
李清照
乃父李格非的古文
是否學外公
王狀元？

我們詩酒唱和
——張汝舟此人
我曾否見過？

妳鋒芒太露
幾爲玉壺闖禍！
我們那本《金石錄》

記得原是《金石緣》

西子西子

妳說妳是
西子，就站成
出淤泥而不染的
西子荷

湖裡湖外
橋來橋去
眾多之星
祇能在妳築的
籬外望妳
　唯我能讀
唯我是愛

滿湖心事
都被妳用月光寫在
葉上
每天早上
打發一隻青鳥
銜來

西子西子
唯我明白
妳是千古絕唱的
一首詩

第四輯 關關雎鳩

阿當之歌

一個不被隨便採摘的
禁果，抛成一部
最早的歌謠
今夜，妳是
夏娃，遂被揉扁
　　　揉圓
揉成一種
不穿衣飾的
變調

關雎

關關雎鳩
在河之洲

我參參差差
洗著荇菜
——看見妳
兩眼就發呆！

葛　覃

好美好美的紫葛花
好長好長的枝條
——你是金絲雀啊
你以清歌向我
下釣
委委婉婉的傾訴
——卻又坦坦白白的
我要
我就要了妳
不訴別人
再要！

卷耳

採了又採的卷耳
——妳的耳朵
好美好美
是我最喜歡的卷心菜
——妳說，好痛啊
好痛
採了滿滿一籃
我都統統吃掉
妳說，你眞多心
瞪大妳的眼睛

樛木

南山有向我
彎過來的大樹
是我老遠老遠的
葛藤，把你緊緊
纏繞

我肚子餓時
牙就跟着
癢了！

*樛，音究。

螽斯

我是其翼如雷的
螽斯，騰雲駕霧
向妳展出聲音
妳就帶著產卵管
飛來

隔牆有耳
妳說，聽見就聽見！

*螽，音鍾。螽斯，蝗蟲的一種。

桃夭

桃之夭夭
灼灼妳花
——我帶妳走
妳說呢？
妳抱得我好緊
要窒息啦！

兔罝

密密兔網
趄趄武夫
五百年前
王侯將相
如今偏把地獄
讓與他們
而我，詩
酒
美人
流離浪蕩

*罝，音居，網。兔罝，網兔子。

芣苢

車前子啊
採車前子
——車前子有什麼好採
不如採士多啤梨
士多啤梨啊
士多啤梨
採
拾
剝
揣
兜
我們回家去

*芣苢，音伏以，車前子的別名。

廣漢

南有喬木
　想攀就攀
漢有美女
　想求就求

天下事
難者說難
易者說易

似妳
　想愛就愛
似我
　說來就來

汝墳

沿著高岸
我不是攀折枝條
而是擁抱
整棵花樹

一口活井，固能解渴
我要妳整個的
湖，以及湖上的
風景

妳說，眞的嘛
好貪心！

*墳，高岸或堤坎。

麟之趾

我的腳不踩
有生命的東西
我的角，犀利
卻不作爲利器
西子，要不要
試試？
——妳說，我偏要！
我偏要！

第五輯　我愛悠悠

焚 念

那是五月鳳凰木
烈烈的自焚

一次七七
一次西廂
是一次次望斷柔腸的
化蝶

我心惻惻
我愛悠悠
輕輕揮手揮出一樁
欲説還休的
離愁

寂寞

湛湛青天
莽莽大千
天河寂寞
　泛濫
無星無月的夜裏
我燃著孤獨的火種
編織妳的
容顏

永恒

假如，可再選擇
心願，我們的心願
無須改變

每天都有
很多戲劇上演
都似風
流過耳邊

既有昨天
便還有明天和後天
而我們天涯若即
何必定是今天

假如，何需再來一個
假如，如何假如
也仍是一個
永遠

苦望

炎炎夏日過後
是相思樓頭
滿地的月光

夜夜，我在夢裡
闖蕩，闖成
我們琥珀歲月中
一段美好的
盼望

搖夢

昨天何必叫做昨天
我們始終走在一個
最暗也最光明的角落
最深也最悠長的歲月裡
明天何必叫做明天
明天仍然霧外有霧
願妳仍是
一朵午夜未醒的睡蓮
我撐一把綠傘
用我們的故事陪妳
每當夜夜，夜深至

宇宙的谷底
我自心中放出一條小船
恒以你的名字爲燈
慣用記憶的雙槳
把夢搖起

夢迴

午夜要是
一條河流
把妳帶到我的身邊
我將從思念中
突然醒起
一下給妳一千個吻

而妳無需再要心悸
該自惡夢之中
徐徐醒起
看窗外月光拍岸
握住我強壯的身軀
我們不再分離

放浪

長了翅膀的夢
夜夜在湖邊游蕩
淫雨爲妳而來
蜻蜓是一位
雨中釣夢的女子
別離是不能與之握手的傢伙
夜夜領著海
與湖款曲
且以不羈的浪
湧進妳的
小巷

烈火

不願回去
無始的寂寞
我們的野火
永遠不停地燒著
野火不息
春風無盡
愛的宣言
永遠
活著

遙寄

歲月，一個市場
青春，幾枚輔幣

一枚女媧製造的
郵票，印著一個
黃土做的
錯體美人，一半是我
　　一半是妳

每天，我總
將之復印
一半留下
一半寄妳

等待

人生的一瞬，恒爲
生生世世，恒爲
地久天長
吾乃凡人
吾非凡人
儘管春夏秋冬
紛紛脫落
我仍挽著一個微笑
一個記憶
一首千古悠悠的戀歌
直至上帝身邊
等妳

遠望琴聲

那夜長江自妳身上走來
萬里風光
呼嘯而過

妳的奔放
妳的柔情
都能令我屏住呼吸

沒有月亮升起的晚上
一棵沒有年輪的
靈秀樹，祇有
琴聲悠悠
把湖的聲音
寄與大海

茫茫

琴聲悠悠
芳心戚戚
悠悠自千江外的
茫茫
茫茫的山，茫茫的水
茫茫的山山水水
皆有妳一聲
舒不開的
長嘆

望妳

望星望月
望雨望雲
望驕陽中
妳如何流成一條
流淚的河
清夜中
妳又如何考究
心底的寂寞

化蝶

毋怨沈默
沈默最是無言的痛楚
我心已蠶食爲繭
化作蝴蝶
尋尋
覓覓

而妳如何知道
每夜三點之後
我曾幾次，飛進
妳的夢裡

守秘

前世或許曾經
共渡滄桑
今生何以賜予我們
一個彎彎的
月亮

何必在我們心裡
揭開一個遠古的秘密
我願留著
仲夏之夜
夢的芬芳

朝思

晨曦來時
看園中晶瑩的露珠
在芳香的草葉上打滾
那是妳一樁一樁的
心事

一樁樁事，都有
我的影子，皆是
妳夢的閃光

第六輯 彩夢翩翩

鏤刻

快樂糾纏憂傷
我搜集記憶
深深鏤在心上

歲月如梭
不願停留

妳的山
妳的嶺
妳的樹
妳的河

妳的花

妳的果
妳果外的
甜蜜與芳香

那流淚的城市
火中戀情
一幅幅彩羽翩翩
都掛在
夢的迴廊

垂釣

當妳張開一扇
陌生之門
勢必看見五月的天空
投下一場及時雨

一尾曠古的美人魚
何以偏來撥弄
姜尚的釣竿

渭河之釣
一夜之間，成了扁舟
出水之魚，驀然走成
西子

五月的浮雲
在千山之外
把夢雕成一隻
相思鳥

山語

淫雨過後
有藤蘿爬上
路邊的荒塚
那是一串漫長歲月的
脱落

我們乃是一對
拔地而起
相對不厭的
峰巒

接來朝陽
送走黃昏

看一片樹林的毀滅
　一代煙霞的
蜂起
嶙峋偉岸的　是我
潺潺不絕的　是妳
祇要芳醇
　圓滿
又何妨，在一滴
露中

圓唱

世態炎涼
人間悲苦
身旁走過冷酷之人
　冷酷之事
祇有妳仍從前
　我仍從前
妳我的從前
無論如何吟唱
都是一首完美的歌

縱有遺憾
皆是愛的貪婪
也是一種令人窒息的
淒美

無怨

七月的雨季
打濕了翅翼
七月的蛩音
在指間流瀉

沒有第三隻手
紓解錯雜的浮影
任妳寂寞了
荳蔻年華

總是匆匆而過
總是相對無怨
總是美麗寂寞

曇花

開完再開的

無阻我愛

一樹被蟲蛀過
　被蜂刺過
　被蛇咬過的
酸果，是一樹
冷漠塵緣
一曲痛楚的
小調

而我們丹桂恒香
　玫瑰恒笑
　綠色恒存
　星月恒好
無論在東　在南

在西　在北
都飛越關山
跨過火海
突破凍土
是一聲劃破長空
飛過刀山
恒爲世紀的
呼嘯

無礙誓言

那些傳言
讓它傳言
是毛是雞
任他飛騰

愛是一支
收不回來的
箭

水已由水
燃爲火焰
我們決不
改變

恒在物外

一叢野花
一個狹谷
兩隻青蛙在荷塘
垂釣

我們站在蛙外
禪聽花開花落的聲音
參悟物外的
和諧

至愛

那天，湖中泛舟之後
我們去看海
妳說，有海的日子很充實
我說，有湖的日子很快樂

妳笑，笑出
滿天彩霞
我飲，飲盡
一條江河

愛是永無休止
　永不厭倦的
吻，是上帝藉以我們

最美的完成

第七輯 遠游

月正柳梢

過了雨季
我們便去旅行
把事事打成一個句號
即使朱元璋趙匡胤來了
我們都把他
鎖在門外

我叫造父
修好雷車
操好八龍
準備好糧草
溜駃蹄以候命
放騰蛇以假期

明天，更惜闌珊春事
新枝還是舊時枝
　仍是妳點點珠勻的
清淚

但見楊柳梢頭
一輪明月升起
我們攜手
去看夕陽從醉中醒起
聽瀑布演說
我們的故事

訪西王母

我叫造父
取出車駕
駕起八龍
向北再轉西方

陽紆山看看河伯
昆侖山遊覽黃帝的寶殿
然後前往玉山
去看大鵹和小鵹
去看那隻，替我們
送信的青鳥

那人早已不再
蓬頭虎齒豹子尾巴

變得丰姿綽約
　風韻迷人
我們去點燃她的
妒忌

要她再唱一曲——
　白雲高懸在天
　山陵自然顯出面影
　你我相去，路途遙遠
　更有山河重重阻隔中間
去看崦嵫山頂
穆王留下的
　五個大字
看他別時，種下的
　幾棵槐樹
是否與晉祠內的周柏一樣
摭蓋雲天

湖鳥島

過青海，我們去蛋島
執拾鳥蛋
點數十萬隻
天鵝、鸕鷀
棕頭鳥和斑頭鳥
看牠們
熙熙攘攘
棲息沙灘
游嬉碧波
翱翔藍天

劉家峽

過甘肅永靖
看黃河雄偉氣勢
劈開崇山峻嶺
　奔流直下
奇峰對峙
千岩壁立
黃土清波
水天一色

妳問，劉家峽
爲什麼姓劉？

登嘉谷關

洪武抹下的夕陽
至今仍然黃金燦燦
關仍是從前的　關
風雨卻是今天的　風雨

我們南枕祁連
　腳敲龍首
同聲問道——
　誰是最後
一位守將？

絲綢之路

跨過祁連嶺的霄漢
去看麥積山的洞窰
再看張掖古城的遺址
絲綢路上，商賈雲集的城
已被歲月吃去
祗剩下吃也不下的
大佛寺，和
鼓樓

扇畫莫高窟

妳要我畫的五星扇子
一直帶在身邊
來到莫高窟
遂畫成盛唐的
雙飛天

一個是妳
一個是我
若前若後，或左或右
比翼雙飛，紅絲相連

夜宿月牙泉

月牙泉
是妳永不乾枯的沙井

月夜擁著妳
聽北麓沙鳴
弄一隻鐵背魚
　或七星草
去長壽

風沙起時
我遂浸在妳的泉中
且讓他們
繞湖而過

進炳靈寺

走進炳靈寺
我說龍興寺

看黃河北岸
積石山中
南北峭壁上
高低錯落
天梯縱橫
自西秦
自北魏
自明清而來的
滿天神佛
以一種世外的眼光

度忖著我們的
來意

我們是三界之外的
寫意，人神之間
灑脫

上大雁塔

第七層的雁蛋
是當年取回來的
經藉，已孵出
滿天大雁

妳說，老孫來了
　　在塔外
是否高老莊的女婿
被改名一戒，戒色
對著妳，一本正經
阿彌陀佛

過乾陵

來到乾陵
我叫馬兒不要停蹄
武氏雙目從空
目下無人
改元天授
天何授之？
以夜爲晝
喔喔雞啼
王皇后
蕭淑妃
何及斷手斷足
浸其以酒

使之醉死

司花之神
何以急急報春
人間怕惡
神亦如是！

訪司馬遷祠

再過去
便是東依梁山
　　西臨芝水的
韓城

司馬祠，我們進去
太史公前，鞠個躬
　　行個禮
人說他宮了之後
　　才有東西
其實是
　　獻身民族
子承父志

拜黃陵

轉眼來到橋山
橋山上立著
　經天緯地
　舟車冠裳
　文物典章
　開天闢地的
老祖先

首山採銅
荊山鑄煉
鑄成丈三巨鼎
作爲戰勝蚩尤的紀念

天上突降神龍
把他接上天廷
去時一百五十二歲
歲月悠悠五千年

登長城

天下形勝處
一條蒼龍，蜿蜒
青山上
居庸，倒馬
寧武，雁門
平型，飛狐
首尾連環望
妳問孟姜女
哭倒那扇牆

雲崗石窟

車過山西大同
五萬尊佛
都要見妳
　妳是文殊？
　還是觀音？
妳說，腰痠
　　腳痛
找張床
好好躺躺

這回，我們
　不作鳳凰

去做
鴛鴦

白馬寺

至洛陽，去看
移植佛法的
第一寺
　佛光普照
　法輪常轉
那馱經來的
白馬
我們都曾見過
妳說
幾匹？

洛陽牡丹

若能火急報春知
九朝古都的
　牡丹
今夜便莫待曉風
爲妳而開
要開，就開一個
四季

妳說，牡丹花下
又不知釀出
多少韻事

避暑山莊

承德離宮
我們斷然沒有進去

若生康熙之世
就輪不上花縣人與他
驅逐外人在我頭上著糞
不等於不讓族人登九五
況且黎民拜偶像
天下人養一個偶像
多易
養千萬隻寶貝
多苦

自從那鹿被他射死
此事也就不必再提
——雖然我們身上都有
那種標誌
可是，都被我們
白白浪費！

妳這一笑，傾湖
再笑，傾海
我乾脆把海外
送與他人！

登泰山

登上岱頂
我找尋
那雙足印
——妳說，就在你的
　　　腳下
我們齊聲
高呼
　岱宗夫如何！
然後挽手肅立
看愛的精魄
東升

拜見先師

我們去看
衍聖公，去看
大成殿，去看
集古聖先賢大成的
夫子

夫子醒時
是不拿藤條
　不打人屁股的
老師
睡時是燈
　是人離不開的
空氣

一齊敬上四鞠躬
三鞠躬 給老師
一鞠躬 給傳統

西雙版納

去兒時嚮往的地方
採集奇花異草
給妳編一頂花冠
——妳是我的
西雙版納姑娘！

去看獨木成林
千奇百怪的自然生態
看他們即使物質缺乏
也活得
自由自在

遊昆明

四季如春
古木名花的
春城
我和西子來了！
我們握過三枝文筆而來
量過元謀的土林而來
來登你的大觀樓
與太華山隔水
打個招呼
來看孫髯翁
如何被貼在柱上

淌下一百八十滴

老淚

*昆明大觀樓有今古最長，一百八十字的長聯。

曼飛龍塔

曼飛龍啊曼飛龍
曼飛龍由大小九塔構成
似一個雄才偉略
　　瀟灑不羈的
男子，被八位絕世佳人
團團圍住
　　——妳又說我
　　多心！

我說，八位同父同母
　　同年同月同日
　　同分同秒出世的
姊妹，又在看不見的地方

長著一顆同樣大小的
相思豆！

大足石窟

提起小足
小心放進大足
——妳可不能
感應懷孕！
五顯大帝，三皇
老君及炳靈太子
都笑著迎妳！
要妳看看
儒釋道三教
如何合流
既然來了，得去拜見
日月觀音

九寨溝

鏡海邊
　雲影遐飛
長海裡
　驚心動魄
一片奇幻
比瑤池還瑤池的瑤池
珍珠串起的迷人景緻
都是一幅幅
唯祿松是祿松的
　醉人的
渲染

此刻
我以心畫
　以眼畫
筆，留著晚上
畫妳

神農架

去長江與漢水之間
看原始森林
看神農氏在此
遍嚐百草
看他一日中毒七十次

赭鞭有多長？
鞭藥在何處？
哪是開著小黃花的
斷腸草？

三國赤壁

看石頭關的石頭
寫著——
孫劉大軍在此破曹
黃蓋苦肉計
火燒連環船
火光咬得崖壁
通紅

此刻暫無
陪了夫人的故事
妳是大喬？
還是小喬？

天子山御筆峰

擡望天子山
頓見當年失去的
御筆
何以都到
這裡來了！

梓童，妳每天陪我
在御書房裡
妳會
不知道麼？

索溪峪

妳說，生命的迴輪
男的總是男的

索溪峪，我們便變成
一雙玉兔，妳試男
　　　　我試女

群峰聳峙
幽谷飛瀑
石林溶洞
人蹟不到的地方
都能進去
　我跟妳
妳拉我

·135·　登岳陽樓　　索溪峪

登岳陽樓

走過　天下水
來至　天下樓
天下樓的滕子京
因范仲淹而
千古

天下樓可修
范仲淹的　賦
不能修

上廬山

周代兄弟七人
　以草結廬
　　上山修路
終修進
我詩中
我們才是
　前人不識
　　後人愕愕的
廬山

鄱陽湖鳥國

彭澤，定是
「少昊之國」
金天氏，想必
西遷

鳳凰曾被委任總管
燕子、伯勞、鷃雀、錦雞
分掌四季天時
這裡卻是滿天的
白鶴天鵝

妳說，人也有上臺下臺
離職離休

鳥國也有
換班！

登滕王閣

那天，風送我們
滕王閣
勢必召來王勃
再作新賦

問他
何以此閣
屢建屢毀？
所仿舊制
是耶？
非耶？

放舟大運河

吳王夫差開鑿的
邗溝，今在何處？
我們蕩舟
水面浮上的，全是
隋煬帝的影子
自京上船
妳說的，並非
臥薪嚐膽的故事
——妳老家到了
上不上去？

夜過寒山寺

聽說寒山在時
此寺並不寒山
寒山去後
此寺才寒山起來
張繼來後
此寺便不寒了
——而今，一個圓了
一個方了
我們到姑蘇城外
去聽鐘聲

金山寺

妳水淹金山
——爲了救我
法海可惡
也顧不了許多

若在今天
便不必怕他
我以腰間的葫蘆
與他鬥過！

遊桂林

來到灕江
妳突然隱在
眾多的美女群中
即使妳忍住了笑
我衹要輕輕搔妳腰間
便知妳在
那裡

逛星湖

來肇慶
看那年妳從天上
移下的北斗
　七岩，八洞
五湖，六崗
頗似羽扇搖搖的
八陣圖

南上丹霞山

至仁化，看城南
三峰聳立的
如出天表
看李巡撫眼裡的
燦若明霞

妳來
登上巒峰
便把她的清晨
收爲妳的裙色

蜜釀造詩樓

然後，妳便
一腳落下我的
造詩樓

造詩樓的
丹桂迎妳
玫瑰迎妳
剛果蘭迎妳
牆上的山山水水迎妳
縈繞不息的夢夢迎妳
白晝我們在樓裡
釀詩

釀蜜

夜裡，我在桂花樹上的
小巢中
釀妳

第八輯 我愛垂型

吾愛吾愛

明天的風雨
乃濯我們的足
我們依然矗立雲霄
上帝以萬世光華加冕我們
湖與海之戀既醇
西子與我
恒在

全詩一〇四首，寫於一九九一年七月十二日晚至十五日晨，香港造詩樓